ediciones
ia mi qué
LIBROS
CIENTÍFICAMENTE
DIVERTIDOS

El cine
no fue
siempre así

Marcelo Cerdá, **Patricio Fontana** y **Pablo R. Medina**
Ilustraciones de **Javier Basile**

D1294461

LAS COSAS NO FUERON SIEMPRE ASÍ

¿Qué es ediciones iamiqué?

ediciones iamiqué es una pequeña empresa argentina manejada por una física y una bióloga empecinadas en demostrar que la ciencia no muerde y que puede ser disfrutada por todo el mundo. Fue fundada en 2000 en un desván de la Ciudad de Buenos Aires, junto a la caja de herramientas y al ropero de la abuela.
ediciones iamiqué no tiene gerentes ni telefonistas, no cuenta con departamento de marketing ni cotiza en bolsa. Sin embargo, tiene algo que debería valer mucho más que todo eso: unas ganas locas de hacer los libros de información más lindos, más divertidos y más creativos del mundo.

Texto: **Marcelo Cerdá, Patricio Fontana y Pablo R. Medina**
Corrección: **Laura A. Lass de Lamont**
Ilustraciones: **Javier Basile**
Edición: **Carla Baredes y Beatriz Frenkel**
Proyecto de diseño: **Lisa Brande y Javier Basile**
Diseño y diagramación: **Javier Basile**

©ediciones iamiqué
info@iamique.com.ar
www.iamique.com.ar

Primera edición: junio de 2006
Tirada: 5.000 ejemplares
I.S.B.N.-10: 987-1217-10-2
I.S.B.N.-13: 978-987-1217-10-6
Queda hecho el depósito que establece la ley 11.723
Impreso en Argentina. Printed in Argentina

Cerdá, Marcelo
El cine no fue siempre así / Marcelo Cerdá ; Patricio Fontana ; Pablo R. Medina ;
ilustrado por Javier Basile - 1a ed. - Buenos Aires : Iamiqué, 2006.
40 p. ; 29,4x21 cm. (Las cosas no fueron siempre así)

ISBN 987-1217-10-2

1. Ciencias Sociales-Niños. I. Fontana, Patricio II. Medina, Pablo R. III. Basile, Javier, ilus.
IV. Título
CDD 500.54

El argumento

FILM

FEIX&FILM

FETY FILM

Te acomodas en la butaca. Se apagan las luces. Sobre la pantalla ves, en blanco y negro, la imagen de unos bañistas que se divierten lanzándose al mar desde un muelle. No oyes nada, ni gritos, ni el susurro del viento o el rumor del agua. Sólo el ruido del proyector. A los pocos segundos, la película termina. *¡Epa! ¿Qué pasó?* ¿Qué haces?

4

Esperas pacientemente a que empiece la película

Te fijas si el proyeccionista se durmió

¡SAL DE TU ESCONDITE!

Intentas descubrir quién es el bromista

Exiges que te devuelvan
el dinero de la entrada

Aunque no lo creas, las primeras películas, las que se proyectaron hace cien años, eran como aquella del mar, sencillas y cortitas, sin sonidos ni colores: un bebé alimentado por sus padres, obreros saliendo de una fábrica, una familia jugando a las cartas. A los espectadores esas imágenes los asombraban, sencillamente porque era la primera vez que un aparato podía capturar la realidad y proyectarla.

Acomódate en tu butaca y prepárate para descubrir que

el cine no fue siempre así

LÍNEA DE TIEMPO

1890

1895
Cinematógrafo de los Lumière

1900

1910

1920

Dos hermanos iluminados

6

El 28 de diciembre de 1895, en un salón ubicado en el sótano de un café de París, los hermanos **Louis** y **Auguste Lumière** presentaron un extraño aparato que era capaz de mostrar imágenes en movimiento. Los 33 curiosos allí reunidos quedaron atónitos frente al espectáculo. El debut fue tan fenomenal que al día siguiente la gente se amontonaba para conseguir una entrada.

Los Lumière llamaron a su invento **cinematógrafo**, nombre que viene del griego y que quiere decir "escritura del movimiento". A simple vista era una pequeña caja de madera con una manivela. Pero si se giraba la manivela, la cajita capturaba imágenes de la realidad que más tarde podían ser proyectadas sobre una pantalla. ¡Una maravilla tecnológica!

¡Increíble!

Una de las películas más exitosas de los Lumière fue *La llegada del tren a la estación*. Duraba menos de un minuto y mostraba ¡adivina! un tren que se acercaba a una estación y se detenía. Tan reales resultaban las imágenes a algunos espectadores que, cuando veían la locomotora acercarse, huían espantados porque pensaban que el tren los iba a atropellar. ¡No te rías! ¿Acaso no cierras los ojos cuando el monstruo avanza desde el fondo de la pantalla?

¡Qué ilusos!

Cuando miras una película observas que las personas caminan, el viento mueve las hojas y los autos se desplazan a gran velocidad. ¿Te asombraría saber que nada se mueve? En realidad, lo que ves sobre la pantalla son cientos y cientos de fotografías, una a continuación de otra. Si se trata de un jugador pateando una pelota, en el rollo de película habrá varias fotos casi iguales pero diferentes: en cada una de ellas, la pierna del jugador estará cada vez más cerca de la pelota. Cuando esas fotos fijas (o fotogramas) que registra la cámara se proyectan muy rápidamente –¡a una velocidad de 24 por segundo!– tenemos la ilusión de que el movimiento se produce. Este fenómeno se llama ilusión cinescópica.

Sabías que...

Las imágenes se imprimen sobre una cinta delgada, flexible y transparente –una película o, en inglés, un *film*– cubierta por una capa de emulsión sensible a la luz. Luego esa cinta se revela (como las fotos) y queda otra cinta con las imágenes listas para ser proyectadas (los fotogramas, uno debajo del otro). Por esta razón se habla de películas o *films* y, hace muchísimos años, también de cintas (se decía, por ejemplo, "Vi una cinta de amor").

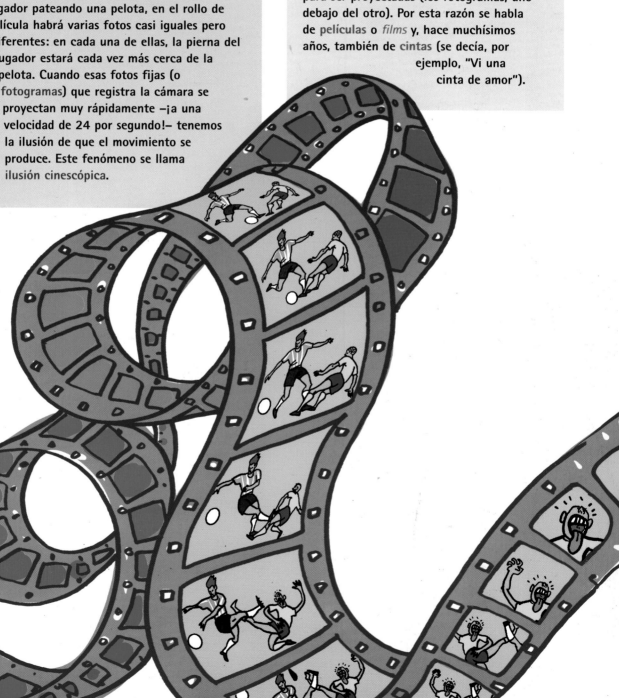

LÍNEA DE TIEMPO

1890

1895
Cinematógrafo de los Lumière

1900

1902
Viaje a la luna (Méliès)

1910

1913
película N°500 de Méliès

1920

1928
Méliès vende juguetes en una estación

1940

Los trucos del mago

Uno de los treinta y tres espectadores de la primera función de los Lumière fue el mago **Georges Méliès**, quien se dio cuenta de que el cine, además de poder capturar la realidad, puede servir para contar historias y dejar volar la imaginación. Hizo películas bastante más caras, más complejas y más largas que las de los Lumière. Ya no duraban pocos segundos sino cinco, diez y hasta ¡veinte minutos!

Méliès descubrió que la cámara es capaz de competir con el mejor truco de mago, y filmó películas donde suceden **cosas impresionantes**: aparecen y desaparecen objetos, las cabezas crecen, los hombres se transforman en esqueletos y mil maravillas más. Trabajaba en un lugar construido especialmente para filmar sus historias disparatadas *(La mansión del diablo, El caldero infernal, El hombre con la cabeza de goma, Los naipes animados, Viaje a través de lo imposible)*, y todo lo hacía él: actuaba, diseñaba los decorados, inventaba los efectos especiales y finalmente vendía sus películas. Hoy, para realizar todo lo que Méliès hacía solo, hace falta un grupo muy grande de gente.

Sabías que...

Méliès gastaba todo el dinero que ganaba en hacer nuevas películas cada vez más costosas. Pese al éxito que tuvo, en los últimos años de su vida debió vender golosinas y juguetes para sobrevivir.

El cine llega a la **Luna**

En una de las películas más exitosas de Méliès, unos astrónomos viajan al espacio en un proyectil disparado por un cañón. El cohete aterriza en el ojo de la Luna (que más bien parece un pastel de crema gigante) y, entre otras cosas que suceden, los exploradores son tomados prisioneros por el rey lunar y los selenitas (los habitantes de la Luna).

Finalmente, los astrónomos logran escapar y "caen" a la tierra en paracaídas. La película se llama *Viaje a la luna* y Méliès la filmó en 1902. ¡Sesenta y siete años antes de que el hombre llegara realmente a la luna!

Aunque mucho cambió desde ese primer *Viaje a la luna*, películas como *La guerra de las galaxias* o *La máscara* les deben mucho a las ocurrencias de Méliès. Gracias a sus **fantásticas películas**, el cine dejó de ser una atracción científica y se transformó en un verdadero espectáculo popular.

LÍNEA DE TIEMPO

1890

1896
Primeros movimientos de cámara

1906/7
Primeros largometrajes
1908
Primera película de Griffith

1921
Experimento Kuleschov

1930

1940

Corte y confección

Méliès siempre ponía la cámara en el mismo sitio, como si ésta ocupara el lugar de un espectador de teatro. Pero después, otros cineastas descubrieron que una situación que ocurre en un único espacio (a esto se le llama **escena**) puede filmarse desde lugares diferentes y así provocar diversas sensaciones en quien mira. Es decir, la cámara puede tomar distintos **planos**.

Plano general

Plano medio de conjunto

Plano medio

Plano americano

Plano detalle

Primer plano

Primerísimo primer plano

La cámara también puede **moverse**. Puede acompañar a un bandido mientras pasa lista a su pandilla y seguirlo cuando huye en su caballo. También puede moverse hacia adelante y pasar a un primer plano para mostrar su cara amenazante. ¿Y cómo se logra? A veces, el camarógrafo mueve la cámara. En otros casos, se monta la cámara en un carro sobre vías, o se la instala en una grúa para lograr movimientos que dan la sensación de que la cámara vuela.

10

Hacia 1908, el director norteamericano **David Griffith** descubrió que si **alternaba** dos escenas que sucedían en lugares distintos podía lograr que el público se comiera las uñas. Por ejemplo, alternaba las imágenes de una madre y su hija aterrorizadas por unos bandidos y las del padre que corre desesperadamente para socorrerlas. Filmaba las escenas varias veces y obtenía diferentes planos. Después, elegía cuidadosamente las imágenes y las pegaba de tal modo que provocaba emociones muy distintas en los espectadores...

En aquel momento, esta manera de contar historias fue toda una **innovación** y Griffith tuvo que insistir para que lo dejaran filmar a su modo. ¡Y pensar que ahora casi todas las películas usan estos recursos!

Armar el rompecabezas

A veces las escenas se registran sin respetar el orden: es posible que lo que ves primero se haya filmado al final y viceversa. Por eso, una vez que está todo filmado, comienza la última etapa en la que se selecciona, se ordena y se compagina todo el material: el montaje.

En 1921, un tal Lev Kuleschov demostró con un experimento el asombroso poder del montaje. ¿Cómo? Montó una misma imagen de una cara con otras de diversas cosas, como en este ejemplo:

¿Qué imaginas que está pensando el señor en cada caso?
¿No es asombroso el montaje de imágenes?

LÍNEA DE
TIEMPO

1890
1891/2
Edison patenta
el kinetoscopio.
Construye su
estudio

1897
Méliès
construye su
estudio

1905
Méliès instala
luz eléctrica
en su estudio

1911
Primer estudio
en Hollywood

1920

1930

1940

El imperio del sol

A medida que el cine se iba perfeccionando y haciendo más popular, la producción de películas se hizo más y más compleja. Ya no bastaba con tener un decorado y una cámara... Era necesario contar con un espacio especialmente diseñado para hacer películas, con oficinas, talleres para la construcción de decorados y vestuarios, salas de montaje y proyección y mucho más. Así nacieron los **estudios de cine,** lugares donde era (y es) posible reproducir casi cualquier escenario: ciudades, bosques, transatlánticos, el interior de un avión...

En Estados Unidos, la producción de películas empezó en las zonas más pobladas del país, en el este. Pero hacia 1907 algunos realizadores empezaron a mudarse hacia la costa oeste, hacia California, donde hay buen clima y sol todo el año. No olvides que, en los primeros años del cine, casi no se usaba luz eléctrica para filmar.

12

En realidad, no sólo buscaban sol... También escapaban de los matones de Edison (¡sí!, el inventor de la lamparita o bombilla), quien se adjudicaba la patente del cinematógrafo y pretendía ser el mandamás del cine.

Esos "fugitivos" encontraron un lugar ideal para construir sus estudios en un suburbio de la ciudad de Los Ángeles llamado **Hollywood**. ¿Te suena? Estos estudios poco a poco se fueron transformando en grandes fábricas de cine. De ahi que a Hollywood se lo empezara a llamar "la fábrica de sueños".

¡Increíble!

En 1954, para filmar la película *La ventana indiscreta*, se construyeron especialmente unos edificios de departamentos como los que puede haber cerca de tu casa. Los vecinos, obviamente, eran todos actores. ¡Era perfecto para filmar sin ser molestados por nadie!

Sabías que...

Méliès construyó en su finca de las afueras de París un lugar especial para hacer sus películas. Era como una casa de cristal, con paredes y techo de vidrio para aprovechar al máximo la luz del día. Allí construía sus decorados, cosía sus disfraces, ensayaba las escenas y filmaba...

HOLLYWOOD

Por supuesto, no sólo se construyeron estudios en Hollywood: Italia, Francia, Inglaterra, India, Argentina, Alemania, México, España y Japón, entre otros países, tuvieron o tienen sus estudios de cine.

UNIVERSAL STUDIOS

SUNSET BLVD.
← 6500 →

LÍNEA DE TIEMPO

1890
1895 El regador regado (Lumière)
1900
1910
1914 Chaplin filma su primer corto
1921 El chico
1924 Sherlock Jr. (Keaton)
1927 Octubre (Eisenstein)
1930
1940

Un éxito sin palabras

El cine nació, creció y alcanzó la fama sin pronunciar una sola sílaba... Durante los primeros 30 años las películas fueron completamente mudas, así que había que ingeniárselas muy bien para contar las historias sin recurrir a las palabras... Lo creas o no, todas las historias podían ser contadas: las de amor, las de guerra, las de terror, las de aventuras...

Lejos de ser silenciosas, las salas de cine eran espacios con mucho ruido. Casi siempre había un **pianista** que ayudaba a darles clima a las películas. Si la película era de acción, por ejemplo, tocaba una melodía acelerada; y si era de amor, tocaba algo romántico. En los cines más elegantes, podía haber toda una **orquesta** e incluso alguien que hacía **sonidos especiales**: truenos, disparos, explosiones... En las salas también se oían carcajadas, suspiros, llantos y comentarios en voz alta del público, que disfrutaba enormemente de cada función.

14

Sabías que...

Si resultaba imposible contar toda la historia sin recurrir a las palabras, se colocaba entre las imágenes unos letreros llamados intertítulos.

Guerras con pasteles de crema, caídas exageradas, persecuciones y peleas imposibles, caos y destrucción... Todas estas situaciones absurdas y divertidas que seguramente disfrutas en los episodios de *Los tres chiflados* y en las películas Jackie Chan empezaron en los lejanos tiempos del **cine mudo**.

Muchos de los artistas del cine mudo habían trabajado en espectáculos de pantomima. Eran expertos en divertir al público sin decir una palabra, sólo con la expresividad del cuerpo y del rostro.

En esos tiempos, se destacaron las películas de **Buster Keaton** y **Charles Chaplin**. Estos dos grandes comediantes actuaban y dirigían sus películas: historias desopilantes que hacían que el público estallara en **carcajadas**.

Buster Keaton creó un personaje que vivía todo tipo de aventuras y catástrofes sin inmutarse en absoluto.

Nunca se reía ni lloraba. Es más, por contrato, tenía prohibido reírse en público.

Chaplin inventó a *Carlitos*, *Charlot* o *Charlie*, un vagabundo tierno y sentimental que se metía siempre en problemas y que ponía en ridículo a ricachones y policías. Seguramente lo conoces. Con este personaje hizo muchos cortos –*Carlitos vagabundo*, *Carlitos bombero*, *Carlitos inmigrante* y otros– que hicieron reír a grandes y chicos por décadas. Su primera película larga, *El chico* (o *El pibe*), en la que *Carlitos* se ve obligado a criar a un niño abandonado, tuvo un éxito impresionante. Chaplin era uno de los hombres más famosos del mundo. ¡El público lo amaba!

¡Qué ingenioso!

El montaje resultó un gran aliado para transmitir ideas sin palabras. Por ejemplo, para sugerir que un señor era vanidoso, el director ruso Sergei Eisenstein intercaló imágenes de esa persona con las de un pavo real mecánico que exhibía su cola majestuosa. Clarito, ¿no?

¡Qué gracioso!

El primer chiste de la historia del cine está en un corto de los hermanos Lumière llamado *El regador regado*. Mientras un jardinero riega el césped, un niño travieso se acerca sigilosamente y le pisa la manguera. El jardinero mira el pico para averiguar por qué no sale agua y... ¡sorpresa! El niño saca el pie de la manguera y el agua se descarga en la cara del regador... regado.

LÍNEA DE TIEMPO

1890

1897
Los Lumière contratan a 4 saxofonistas para sus películas

1910

1920

1927
El cantor de Jazz
1929/30
Invención del doblaje
1931
Drácula

1940

¡Ahora también hablan!

Después de varios experimentos extravagantes –como ubicar detrás de la pantalla cantantes y actores que intentaban sincronizar sus voces con las imágenes–, en 1927 llegó la **primera película sonora**: *El cantor de jazz*. Y fue tanto el éxito que, muy pronto, todas las películas fueron habladas.

Con la incorporación del sonido, surgió la necesidad de eliminar los ruidos del ambiente donde se filmaba. Técnicos, directores y ayudantes debieron aprender a no trabajar a los gritos. Las cámaras, que por esos años tenían motores ruidosos, se encerraron con los camarógrafos en cajas insonorizadas.

Más tarde, alguien se dio cuenta de que las voces se pueden grabar también después de la filmación. ¿Cómo? Se les pasa la película a los actores y ellos repiten las frases intentando que coincidan con los movimientos de su boca. Esta técnica se llama **doblaje**. Con esta misma idea, se agregan otros sonidos: disparos, bocinazos, maullidos... Y también se puede cambiar las voces de los actores por otras en idiomas diferentes.

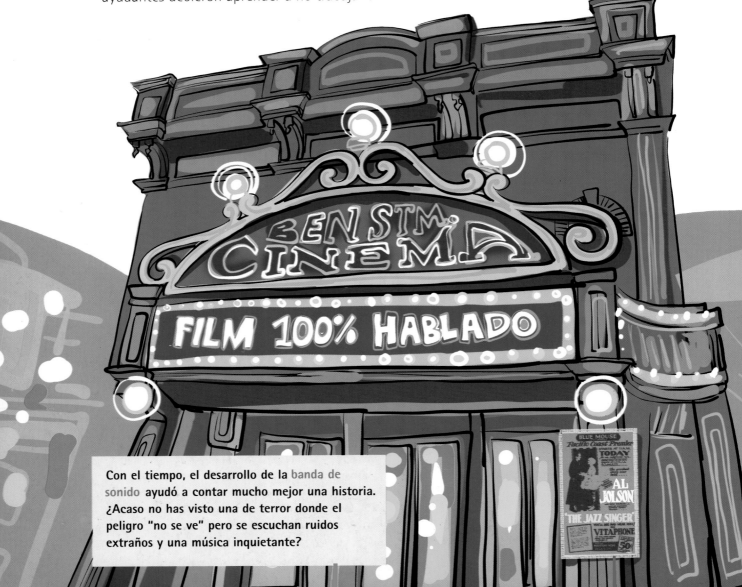

Con el tiempo, el desarrollo de la banda de sonido ayudó a contar mucho mejor una historia. ¿Acaso no has visto una de terror donde el peligro "no se ve" pero se escuchan ruidos extraños y una música inquietante?

16

CORNETA

VOL. I. NO. 23.

(UP)—Means United Press
(AP)—Means Associated Press

RIGHT IS OF NO SEX—TRUTH IS OF NO COLOR—GOD IS THE FATHER OF US ALL, AND ALL WE ARE BRETHREN.

Despiden a importante actriz

El contrato de una conocida y bella actriz del cinematógrafo ha sido cancelado debido a que los productores consideran que "su voz de trombón no sirve para el cine sonoro".

UNA TONTERÍA

Sergei Einsestein afirmó en una conocida universidad de Francia que el cine sonoro es una tontería al 100 por ciento.

SILENCIO

La Metro Goldwyn Mayer, uno de los grandes estudios de Hollywood, acaba de pintar en el techo un cartel que pide "Silencio" a los aviones que transitan por la zona.

Un Drácula para cada idioma

Drácula, la película en la que el truculento Bela Lugosi representa al vampiro, podrá ser vista por los espectadores de habla hispana en una versión filmada en los mismos escenarios y decorados... pero en español y protagonizada por Carlos Villarías.

NO CUENTEN CONMIGO

Charles Chaplin dijo que sólo actuará en una película hablada si le ofrecen el papel de sordomudo.

→ COLOR

LÍNEA DE TIEMPO

1890

1900

1902
Viaje a la Luna

1910

1920

1931
Gardel actúa para la Paramount

1935
Feria de las vanidades

1939
Lo que el viento se llevó

Colorín, coloreado...

18

¡Increíble!

Las películas de los Lumière causaron tanto impacto que un periodista elogió la autenticidad de los colores del cinematógrafo.

ESTE PERIODISTA ESTÁ CIEGO...

Durante muchos años, el público vio las **películas en blanco y negro**. La novedad del cine era tal que a nadie le importaba que las imágenes no tuvieran colores. Bueno, en realidad, a casi nadie...

¿A quién crees que se le ocurrió **pintar a mano** sus películas, fotograma por fotograma? ¡A Méliès!, que lo hizo, por ejemplo, en algunas escenas de *Viaje a la Luna*. Pero fue recién en 1935 cuando se filmó una película íntegramente en colores: *La feria de vanidades (Becky Sharp)*. Aunque la que más impactó fue *Lo que el viento se llevó*, una película súper exitosa donde se apreciaban plenamente los ojos claros de las damiselas, el amarillo anaranjado del fuego y el rojo carmín de la sangre.

A partir de entonces, los cineastas pudieron contar con una paleta de colores como la de los pintores. Y colorín colorado...

Sombras y luces

¿Y cómo se las ingeniaban antes del color? Para saber cómo se verían las imágenes en la pantalla, los realizadores usaban un monóculo ahumado que les permitía ver todo en blanco y negro durante la filmación. Jugaban con las luces y las sombras para lograr distintos tonos y mejorar las imágenes. Para las películas de risa, por ejemplo, elegían destacar los blancos... se las llamaba comedias brillantes. Para las de terror, en cambio, preferían los oscuros, así todo se veía lúgubre y tenebroso.

Trampas en blanco y negro... y en colores

Muchas veces, en la filmación, se tiene que modificar el color "real" de las cosas para que luego se las vea bien en la pantalla.

En los primeros años del cine algunos galanes debían pintarse los labios de color oscuro para que sus bocas no se confundieran con el blanco del rostro. El famoso cantor de tangos Carlos Gardel fue uno de ellos.

Los trucos no son exclusivos del blanco y negro. En *Cantando bajo la lluvia*, un musical en colores de 1952, al agua le agregaron leche para que las gotas de la lluvia se notaran mejor. Trucos como estos –y otros más sofisticados– se siguen usando todavía hoy...

Sabías que...

Cuando se rodaba en exteriores, se filmaban de día escenas que transcurrían durante la noche. Para transformar el día en noche, se ponían filtros oscuros delante de la cámara. A este truco lo llamaban noche americana y ¡se notaba muchísimo! Las sombras en el suelo y las nubes en el cielo delataban que habían filmado a plena luz del sol.

→ EFECTOS ESPECIALES

LÍNEA DE TIEMPO

1890

1896
Méliès
comienza sus
experimentos

1902
Viaje a la
luna

1910

1920

1930

1933
King Kong

1939
Lo que el
viento se
llevó

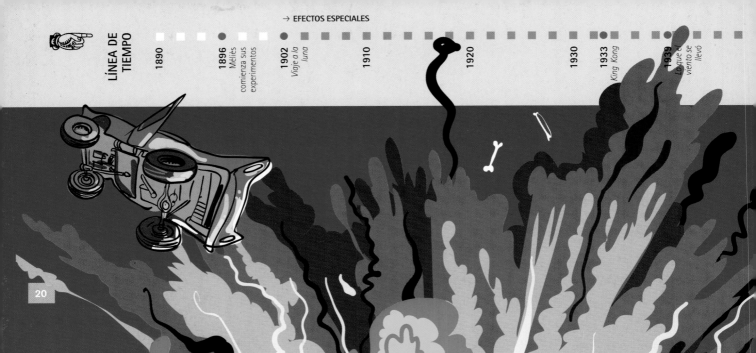

¡Bummmmm mmmmmmm!

Edificios que explotan, monstruos gigantes, personas que vuelan. Todas esas imágenes sorprendentes se consiguen con maquetas, pequeños muñecos, trucos de cámara, computadoras y mucho ingenio. Son...los **efectos especiales**.

¿Y cómo empezó todo? Un día de 1896 Méliès estaba filmando en una plaza. Por un desperfecto, la cámara se detuvo. Méliès la arregló y siguió filmando. Cuando vio las imágenes, notó que un grupo de hombres que estaba en la plaza se transformaba, sorpresivamente, en un grupo de mujeres, y un autobús se convertía en una carroza fúnebre.

¡Increíble!

Para una escena de *Viaje a la Luna* Méliès puso la cámara detrás de una pecera y filmó desde allí. La idea era simular que los actores flotaban en el fondo del mar... ¡Imagínate!

Así, por azar, Méliès descubrió cómo podía hacer aparecer y desaparecer cosas en sus películas. Si quería filmar a un mago que hacía desaparecer a una señora, sólo debía detener la cámara cuando el mago apuntaba con su varita a la dama, pedirle amablemente que se retirara, y seguir filmando.

Ahora que existe la posibilidad de corregir las imágenes con la **computadora**, para lograr el mismo resultado no es necesario detener la filmación. Después, la computadora "borrará" a la señora de la imagen, aunque ella patalee y no quiera irse.

No es un pájaro, no es un avión... es un efecto especial

¿Te asombraría saber que, en 1978, durante la filmación de las escenas de vuelo, Superman estuvo mucho tiempo quieto y colgado delante de una pantalla? Gracias a un sistema combinado de proyector, cámara y espejo, el superhéroe permanecía inmóvil, mientras se proyectaban paisajes que realmente se movían. Un ventilador completaba el truco agitándole la capa.

Este **efecto especial** se realizó hace casi treinta años... Hoy, la posibilidad de procesar y completar las imágenes con la computadora permitiría "hacer volar" a Superman de otra manera.

Sabías que...

En *Lo que el viento se llevó*, de 1939, hay una escena en la que se ven miles de muertos y heridos después de una batalla. En realidad, muchos son maniquíes a los que los actores que están cerca los sacuden un poco para que parezcan personas doloridas.

En *Troya*, de 2004, se ven muchísimos soldados aunque, en realidad, había bastante pocos. Gracias al "copiar y pegar" de la computadora, esos pocos se transformaron en muchos... ¿o en demasiados?

LÍNEA DE TIEMPO

1890 · 1900 · 1906 primer cortometraje de animación · 1917 El apóstol · 1920 · 1928 Aparición de Mickey Mouse · 1930 Debut de Betty Boop · 1933 King Kong · 1937 Blancanieves · 1940 Pinocho

Ese actor está dibujado

Hay películas en las que los actores no son "de carne y hueso" sino que están dibujados, o son de plastilina o de cartón o de madera. ¿Las conoces, verdad? Son las películas del **cine de animación**.

Como los dibujos no se mueven por sí mismos, hay que "moverlos" con mucha paciencia... ¡Lograr que Tom persiga a Jerry es un trabajo de locos! Se necesitan muchísimos dibujos... En cada uno Tom estará un poco más cerca de Jerry. Los dibujos fijos, 24 para cada segundo de película (o, a veces, algunos menos), son fotografiados por la cámara, uno por uno. Luego, al proyectarlos uno tras otro, y gracias a la ilusión de movimiento, los dibujos se mueven: Tom atrapa a Jerry; luego Jerry le ata la cola a una mesa... y la historia sigue como tú sabes.

Filmar cuadro por cuadro permite también dar vida a muñecos, figuras de plastilina y todo lo que se te ocurra. Con esta técnica... ¡se mueven hasta las piedras! Y también se pueden incluir animalitos, monstruos espeluznantes y gigantescos animales prehistóricos moviéndose entre actores "de carne y hueso".

Hoy, la animación por computación reemplazó a ese trabajo casi artesanal. De todos modos, a veces todavía se lo emplea: en los últimos años se filmaron así las buenísimas *El extraño mundo de Jack* y *Pollitos en fuga*.

Sabías que...

En realidad, el primer largometraje de animación lo realizó en Argentina un tal Quirino Cristiani. Se llamó *El apóstol* y se estrenó en 1917. Cristiani se jactaba: "Disney es grande, pero yo fui el primero".

22

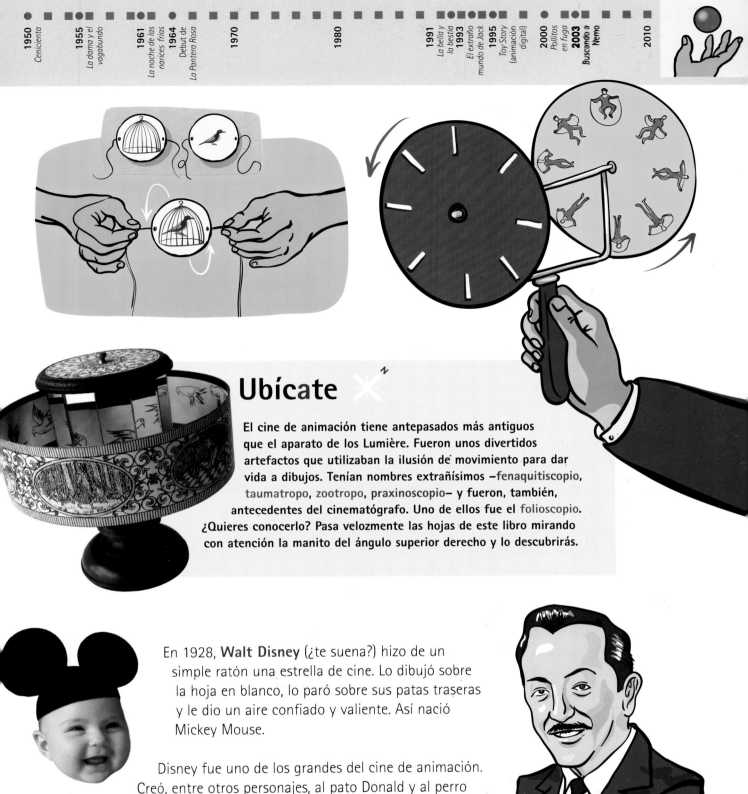

Ubícate

El cine de animación tiene antepasados más antiguos que el aparato de los Lumière. Fueron unos divertidos artefactos que utilizaban la ilusión de movimiento para dar vida a dibujos. Tenían nombres extrañísimos –fenaquitiscopio, taumatropo, zootropo, praxinoscopio– y fueron, también, antecedentes del cinematógrafo. Uno de ellos fue el folioscopio. ¿Quieres conocerlo? Pasa velozmente las hojas de este libro mirando con atención la manito del ángulo superior derecho y lo descubrirás.

En 1928, **Walt Disney** (¿te suena?) hizo de un simple ratón una estrella de cine. Lo dibujó sobre la hoja en blanco, lo paró sobre sus patas traseras y le dio un aire confiado y valiente. Así nació Mickey Mouse.

Disney fue uno de los grandes del cine de animación. Creó, entre otros personajes, al pato Donald y al perro Pluto. En 1937 estrenó *Blancanieves y los siete enanitos*, el primer largometraje animado. En esa película se usaron cerca de… ¡400 000 dibujos! Disney fundó una compañía dedicada al cine de animación que aún hoy sigue produciendo películas: *Pinocho, La Cenicienta , Alicia en el país de las maravillas, La dama y el vagabundo, La noche de las narices frías, La bella y la bestia, El rey león, Bichos, Buscando a Nemo…*

LÍNEA DE TIEMPO

1890

1895
El regador regado, primer cortometraje cómico

1910

1920

1922
Nosferatu, el vampiro (terror)

1926
Metrópolis (ciencia-ficción)

1933
Sopa de ganso (comedia)

1939
La diligencia (western)

1942
Casablanca (romántica)

24

¡Qué horror!
La momia se enamoró...

Estás viendo una película de terror. Quieres que la momia se vengue de los que han profanado su tumba. De pronto, la momia conoce a un momio, se enamoran y se juran amor para toda la vida (¿o para toda la muerte?). *¡Epa, eso no era lo que yo esperaba!*

Con actores o dibujos animados, con color o en blanco y negro, con sonido o mudas, reconoces a las películas por sus géneros. Los robots y las naves espaciales aparecen en las películas de **ciencia-ficción**; el cine de **terror** te produce escalofríos, las **policiales** están llenas de tiros y explosiones, las de **suspenso** te hacen morir de intriga, la chica conoce al chico de sus sueños en una **romántica**, las **comedias** te hacen reír y en las películas de **cine catástrofe** los rascacielos se incendian y los transatlánticos, repletos de pasajeros, se hunden en el océano.

El cine tomó prestados algunos géneros de formas más antiguas de contar historias, como la literatura y el teatro. Otros, nacieron con el cine.

Géneros pasados de moda

Hay géneros que fueron muy populares y que hoy sólo aparecen de vez en cuando. Los musicales, por ejemplo, llegaron con el cine sonoro y fueron un exitazo hasta los años 60. En estas películas, en el medio de una conversación, se escuchaba de repente una orquesta y el galán y la dama dejaban de hablar y se ponían a cantar y bailar, como si fuera algo muy natural.

Otro ejemplo son los *westerns*, que contaban historias que transcurrían en el lejano oeste de los Estados Unidos (*Western* significa "Oeste" en inglés). Los niños de antes las conocían como las "de *cowboys*" o "de vaqueros". En estas películas, el protagonista se enfrentaba con un bandido al que la ley buscaba "vivo o muerto". Nunca faltaban indios, duelos en las calles polvorientas de un pueblo y peleas en el *Saloon*. Al final, el *cowboy* se alejaba por el camino, montado en su fiel caballo, en busca de nuevas aventuras...

Los géneros son como cajas que guardan motivos, escenas típicas y personajes que nunca deben faltar. En la caja de las películas de terror nunca encontrarás una momia que se enamora, y en la caja de las películas románticas... nunca encontrarás momias.

A decir verdad, no siempre los límites de los géneros son tan rigurosos. A veces, algo de una caja puede saltar a otra y, por ejemplo, la momia puede enamorarse del momio. En ese caso, se dirá que la película de terror tiene final de película romántica... y tal vez hasta haya besos y música de violines.

LÍNEA DE TIEMPO

1890

1896 Primeros movimientos de cámara

1906 Primer cortometraje de animación

1911 Primer estudio en Hollywood

1920

1927 Primera película sonora

1929/30 Invención del doblaje

1935 Primera película en color

1940

¿Estás listo para presenciar

Hay alguien al que todos consultan: el **director**. Es el principal responsable artístico y en ocasiones se lo ve serio y nervioso. No está loco, aunque a veces termina así.

La **productora ejecutiva** corre de un lado a otro para que nada falte: su tarea es lograr que todo esté bien organizado y que las cosas se hagan a tiempo.

Entre tanto alboroto, el **director de fotografía** se acerca al **camarógrafo** y le indica dónde situar la cámara, da instrucciones a los **reflectoristas** para que ubiquen las luces y le pide al **foquista** que tenga cuidado con el foco, para que la imagen no salga borrosa.

Para que el micrófono no se vea, el **sonidista** va a usar una jirafa (que aquí no es un animal sino una larga vara que sostiene el micrófono).

La **maquilladora** hace unos retoques a la **actriz**, que está caracterizada como una zombi, y el **vestuarista** le ensucia con tierra y moho verde el vestido para que su personaje resulte creíble.

26

un rodaje? ¡Adelante!

Gracias a la **directora de arte**, el lugar donde se filma (llamado *set*) reproduce un espeluznante cementerio. Entre las tumbas, un **técnico de efectos especiales** oculta el trampolín desde el cual se va a lanzar el **doble** del protagonista, cuando una pequeña carga explosiva sea detonada y cree la ilusión de que el héroe vuela por los aires.

Ya está todo listo. La **ayudante de dirección** pide silencio. El sonido de la pizarra resuena en el *set*, y el **pizarrero** indica el número de escena y de toma (una toma es lo que se filma de una sola vez, sin cortes). ¡Acción!

Este trabajo se reitera en cada toma. ¡Una película puede tener cientos y cientos de ellas! Como entre toma y toma pueden pasar horas, incluso días, el **continuista** cuidará que la calavera no cambie de lugar, que el moho del vestido no desaparezca o que la tumba, misteriosamente, cambie su aspecto... Es decir que no haya errores de continuidad.

Sabías que...

Una escena de *Casablanca*, un peliculón de 1943, ocurre en el andén de una estación de París. En un plano, se ve al actor Humphrey Bogart parado debajo de una lluvia torrencial. El piloto y el sombrero, obviamente, se le empapan. En el plano siguiente, cuando se acerca al tren, no sólo no llueve sino que, mágicamente, ¡no hay ni una gotita de agua sobre su ropa!

LÍNEA DE TIEMPO

1890

1895
Cinematógrafo de los Lumière

1900

1905
Primer Nickelodeon

1910

1920

1927
Primer noticiero sonoro

1933
Primer autocine

1936
Primer serial de Flash Gordon

¡Pasen y vean!

En los primeros años, las funciones de cine se daban en circos, en parques de diversiones, en bares o en ferias. El cine era uno más entre otros entretenimientos populares y compartía con ellos los mismos espacios... Junto al hombre forzudo y la mujer barbuda, cerca del tiro al blanco o del carrusel, se montaba una barraca y sobre una pantalla de tela se exhibían películas de pocos minutos de duración.

Hacia 1900 aparecieron las **primeras salas de cine**, lugares especialmente construidos para la exhibición de películas. En Estados Unidos se llamaron *Nickelodeons*, y entraban no más de 200 personas. La entrada era muy barata (un *nickel* es una moneda de cinco centavos de dólar; *odeon* significa teatro) y con ella podías ver entre tres y seis películas de 10 minutos de duración cada una.

28

¡Increíble!

En Argentina, durante los años 50, los artistas de *varieté* –cantantes, ventrílocuos, magos, humoristas– tenían tan poco trabajo que el gobierno dictó una ley para ayudarlos. Según esta ley, las salas debían ofrecer un *número vivo* antes de la película principal. Cuentan que una vez, el público abucheó a uno de estos artistas y él se vengó contando el final de la película antes de bajarse del escenario.

EL ASESINO ES EL MAYORDOMO

1949
Primer serial
de *El llanero
solitario*

1953
Ley de
Número vivo
en Argentina

1960

1970

1980

1990

2000

2010

Rápidamente, en casi todo el mundo se construyeron salas de cine. En las ciudades se levantaban varias, no sólo en la zona céntrica sino también en las más alejadas. Algunas fueron gigantes, para más de 3000 personas. Se las bautizaba con nombres pomposos: *Excelsior, Luxor, Monumental, Palace, Paradiso, Capitol, Splendid, Metropolitan...*

Aparecieron incluso salas al aire libre donde las películas se veían ¡desde el auto! Se llamaban *drive in* o **autocines** o **autocinemas**. El primero se inauguró en New Jersey (Estados Unidos) en 1933 y durante los años 50 y 60 fueron un *boom*. Sólo funcionaban de noche y eran una enorme playa de estacionamiento con una gran pantalla.

El cine se convirtió en el entretenimiento preferido. La gente iba al cine sola, con amigos, en familia, por lo menos una vez a la semana. Nadie se perdía una sola película...

Hacia 1950, en muchos cines se veían no uno sino dos y hasta tres largometrajes por el valor de la entrada. Y, también, series como *El llanero solitario, El Zorro* o *Flash Gordon*, que se proyectaban de a uno o dos episodios por semana. ¡Llegabas al cine a la tardecita y te ibas de noche!

Sabías que...

Antes de la película venía el noticiero. ¡Sí, noticias en el cine! Nadie se lo perdía, pues era la única oportunidad de "ver" lo que pasaba en el país y en el mundo. Los gobernantes, por su parte, aprovechaban las salas llenas para hacer propaganda de lo más espectacular de su administración: discursos, inauguraciones, firma de tratados con otros países, viajes al extranjero...

Ubícate

Un **cortometraje** es una película que dura menos de media hora; un **mediometraje** dura entre media y una hora, y un **largometraje**, más de una hora.

LÍNEA DE TIEMPO

1890 · 1900 · 1910 · **1921** Debut de Rodolfo Valentino · **1930** Debut de Humphrey Bogart · **1934** Debut de Shirley Temple · **1939** Lo que sucedió aquella noche · **1942** La extraña pasajera

Vidas de película

Hubo un tiempo en que las historias y los personajes del cine formaron parte de la vida de la gente, y ofrecieron modelos que muchos imitaron, a veces a propósito y a veces sin darse cuenta. Desde la pantalla, los actores mostraban y "enseñaban" cómo ser galantes, cómo vestir a la moda y qué hacer o qué decir en cada situación.

Así, las mujeres soñaron con un *latin lover* como Rodolfo Valentino y los hombres con una mujer como "la Garbo". Las madres vistieron y peinaron a sus hijas como Shirley Temple, mientras los varones buscaron, sin mucho éxito, imitar el gesto duro de Humphrey Bogart. Más adelante, los muchachos exhibieron chaquetas y peinados como los de James Dean y las chicas quisieron ser tan sexys como Brigitte Bardot. Las **estrellas de cine** eran las únicas estrellas… y la gente andaba encandilada.

Abuelo José

Tía Olga

30

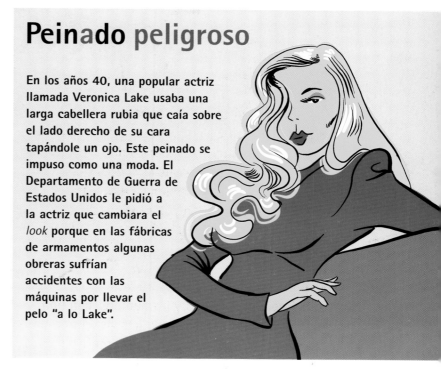

Peinado peligroso

En los años 40, una popular actriz llamada Veronica Lake usaba una larga cabellera rubia que caía sobre el lado derecho de su cara tapándole un ojo. Este peinado se impuso como una moda. El Departamento de Guerra de Estados Unidos le pidió a la actriz que cambiara el *look* porque en las fábricas de armamentos algunas obreras sufrían accidentes con las máquinas por llevar el pelo "a lo Lake".

¡Adiós camiseta!

En una comedia de 1939, *Lo que sucedió aquella noche*, el galán Clarke Gable se sacaba la camisa y mostraba su torso desnudo. ¡No usaba camiseta, algo impensable para la época! Todos quisieron imitar al galán y la venta de camisetas disminuyó muchísimo. Los vendedores de camisetas protestaron y pidieron que sacaran de la película esa "escena anti-camiseta".

Doble chimenea

Hace muchos años, cuando un caballero invitaba a una señorita a fumar, colocaba dos cigarrillos en sus labios y encendía ambos a la vez. Convidaba uno a la señorita y otro lo fumaba él. ¿Cómo se le ocurrió? Adivinaste, había visto la escena en *La extraña pasajera*, una película muy famosa en los años 40.

¡Alerta roja!

Así como las películas pueden hacer que las personas se peinen de tal forma, fumen de tal otra o dejen de usar camisetas, también pueden lograr que piensen de tal o cual manera. ¿Has notado, por ejemplo, que en algunas películas los malos siempre son de determinados países y nunca de otros? ¿Qué querrán que pensemos?

→ LA TELEVISIÓN

LÍNEA DE TIEMPO

1890   1900   1910   1920   1930   1936
Primeras
emisiones de
TV en el
Reino Unido
1939
Primeras
emisiones de
TV en
Estados
Unidos

Y llegó la TV...

Hacia 1950, **la televisión** empezó a ganar popularidad en Estados Unidos. A otros lugares del mundo tardó más en llegar, pero tarde o temprano llegó.

El público prefirió la comodidad del hogar y comenzó a alejarse de las salas. ¡En 1952 la cantidad de espectadores en Estados Unidos había bajado a la mitad! *¡Por favor, hagamos algo para que la gente vuelva!*

Muchos se pusieron a pensar cómo hacer del cine algo más espectacular y diferente de la TV, que sólo era una pantalla pequeña que transmitía imágenes en blanco y negro...

Enseguida aparecieron tres novedades. Primero llegó el **cine 3D**, que gracias a unos anteojitos especiales permitía ver todo en tres dimensiones. ¡Las cosas parecen salir de la pantalla! Casi al mismo tiempo inventaron el **Cinerama**: una enorme pantalla curvada sobre la que se exhibía la imagen combinada de ¡tres proyectores! Y al año siguiente, otra novedad: el **Cinemascope**, que transformó la pantalla más bien cuadrada a la que estaban acostumbrados los espectadores en un inmenso rectángulo que casi la duplicaba en tamaño.

El resultado: imágenes gigantescas que envolvían al espectador y lo hacían sentirse dentro de la película.

32

Sabías que...

No todos recibieron contentos esas pantallas tan "estiradas". El director alemán Fritz Lang, por ejemplo, dijo que el *Cinemascope* sólo era bueno para filmar películas con serpientes y cajones de muertos.

Pantallas y pantallitas

Hoy puedes ver cine de muchas formas. En casa, a través de la pantalla del televisor o de la computadora. Con las nuevas tecnologías casi puedes tener un cine en casa... Y si tienes un reproductor portátil de DVD también puedes ver películas en un avión, o en la cima de la montaña, o en el baño. Pero siempre van a estar tus hermanitos haciendo ruido alrededor; o tu tía parloteando cerca. Por suerte, puedes seguir yendo al cine –aunque ya no a esas enormes salas de antes, sino a salas más pequeñas, con nombres que suenan siempre igual– y disfrutar de su encanto.

Aunque empezaron como perro y gato, el cine y la TV finalmente aprendieron –más o menos– a convivir. Los noticieros y las series abandonaron los cines y pasaron a la pantalla chica. Y las películas, que antes sólo se veían en el cine, empezaron a pasarse también por la tele. La TV se transformó así en otra pantalla –o pantallita– de cine.

LÍNEA DE TIEMPO

1890 — 1900 — 1910 — **1914** "Manifiesto de las siete artes" (R. Canudo) — 1920 — 1930 — **1933** 1° versión de King Kong — 1940 — **1946** Tuyo es mi

El cine en números

1 835 400 000

de dólares recaudó *Titanic* en las boleterías de todo el mundo. Fue la película más vista de la historia y, también, una de las más caras: costó 200 millones de dólares.

1960

es el año en que inventaron el cine oloroso. ¡Sí! Unos tubitos conducían hasta las butacas distintos aromas durante la proyección. Con este sistema se estrenó *Scent of mistery* (algo así como "El perfume del misterio"). El invento fue un fracaso absoluto. ¿Te imaginas *Babe, el chanchito valiente* en cine oloroso?

948

es el récord de cantidad de películas producidas en un país durante un año. No sucedió en Estados Unidos, sino en la India, en 1990.

70

posiciones de cámara y 7 días de filmación necesitó Alfred Hitchcock para hacer la famosa escena del asesinato en la bañadera, de la espeluznante *Psicosis*. ¿Sabes cuánto dura la escena en la película? ¡Sólo 45 segundos!

40

centímetros medía el inofensivo muñeco que usaron para la primera versión de *King Kong* y se "movió" gracias al sistema de animación cuadro por cuadro. Las imágenes del muñeco se combinaron con planos de los actores. Sólo para algunos planos, como cuando la chica descansa en la garra del animal, se construyeron enormes maquetas de algunas partes del cuerpo del gorila.

85

horas dura *La cura para el insomnio*, que es la película más larga que se conoce. Después de verla completa ¡seguro que se le cura el insomnio a cualquiera! Y hablando de dormir, *Sleep*, que rodó el artista pop Andy Wharhol, dura casi 6 horas y en la película sólo se ve a un hombre que... duerme.

24

fotogramas y 45 centímetros de película se necesitan para un segundo de cine. Para un minuto, 1440 fotogramas y 27,43 metros. Para una película de 90 minutos, se necesitan 129 600 fotogramas... ¡2468,7 metros de película! ¡Más de dos kilómetros de largo!

3

segundos era lo que podían durar los besos según un código que desde 1930 establecía qué se podía ver -y qué no- en los cines de los Estados Unidos. En la película *Tuyo es mi corazón* (*Notorius*), que dirigió Hitchcock, hay un beso que parece interminable: el galán y la chica se besan unos segundos, se susurran alguna palabrita, se dan otro besito, se dicen algo, y vuelven a la carga... La censura no pudo decir nada.

0

cortes aparenta tener *La soga* (1948), de nuestro conocido Hitchcock. Esta película parece hecha de un tirón, sin apagar ni una vez la cámara. Y **0** cortes realmente tiene *El arca rusa*, de Alexander Sokurov, filmada en 2002.

7

En 1914, un tal Ricciotto Canudo aseguró que el cine es el "séptimo arte". A sólo 19 años de la primera proyección, este italiano propuso sumar el cine a las otras seis artes (arquitectura, música, escultura, pintura, poesía y danza) que ya contaban cientos o miles de años de historia.

JUGADORES

MÉLIÈS
CHARLOT
BELA
KING KONG

Salida

EL JUEGO DEL CINE
LOP 301

001   01

DIRECTOR   CAMÉRAMAN
EDICIONES   IAMIQUE
INT: NIGHT
DATE 7/6/06

BAR · CINEMA

3 Sótano de un bar de París

7 No consigues entrada para *Viaje a la luna.* Pierdes un turno.

9 Aprendes la técnica del montaje. Avanzas 5 casilleros.

12 Te encuentran los matones de Edison. Vuelves al bar de París.

15 Te contratan para doblar al español a Marlene Dietrich. Avanzas 4 casilleros.

18 Tienes que colorear una película a mano. Pierdes un turno.

21 Descubres cómo simular una gran explosión. Avanzas a los estudios de Disney.

El juego de la historia del cine

LLEGADA

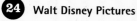

24 Walt Disney Pictures

28 Te quedas mirando *Lo que el viento se llevó*. Pierdes un turno.

30 Te contratan como continuista en el rodaje de una película. Avanzas a la casilla 37.

34 Filmas una comedia pero cuando la estrenas todos lloran. Te tomas un turno para reflexionar.

38 Pierdes tus anteojos 3D. Retrocedes a la casilla 32.

42 Todos los hombres se cortan el cabello como el protagonista de tu película. Avanzas a la casilla 48.

46 Te quedas dormido viendo *Sleep*, de Andy Warhol. Pierdes un turno.

¿Quieres saber un poco más?

Libros para leer

- 🖙 *Érase una vez el cine*. Madrid, Ediciones SM, 1995.
- 🖙 *Secretos del cine*, Pierre Marchand y otros. Madrid, Ediciones B, 1997.
- 🖙 *Enciclopedia Planeta de Historia Universal del Cine*. Madrid, Planeta, 1982.
- 🖙 *El Quillet de los niños, tomo 2*, Beatriz Ferro (dirección). Buenos Aires, Editorial Argentina Arístides Quillet, 1970.
- 🖙 *Historia del cine*, Román Gubern. Barcelona, Lumen, 1989.
- 🖙 *Historia del cine. I. La época muda*, Georges Sadoul. Buenos Aires, Ediciones Losange, 1956.

Páginas para visitar

- 🖙 http://www.museudelcinema.org
- 🖙 http://elmulticine.com/elparnasillo/geniomelies.htm
- 🖙 http://www.elcatalejo.com/directorio/todocine.htm
- 🖙 http://www.sitographics.com/especial/cronocine/cronocine.html
- 🖙 http://www.uhu.es/cine.educacion/cineyeducacion/comienzoscine.htm

Películas para ver

- 🖙 Sobre la época muda: *Nickelodeon* (dirigida por Bogdanovich)
- 🖙 Sobre los problemas en los comienzos del sonoro: *Cantando bajo la lluvia* (dirigida por Donen)
- 🖙 Sobre el fin de las grandes salas: *Cinema Paradiso* (dirigida por Tornatore)
- 🖙 Sobre los oficios del cine: *El cameraman* (dirigida por Sedgwick y Keaton)

¡Buenas noticias!
Hay más cosas que no fueron siempre así

Los libros no fueron siempre así

Descubre cuántas pieles se usaban para fabricar una Biblia, por qué se borraban los libros antiguos, quién los copiaba uno por uno, cómo eran los bolígrafos de los antiguos romanos, qué tiene que ver el vino con la imprenta, entre otras curiosidades.

¡Un libro que no podrás dejar de leer!

El baño no fue siempre así

Entérate de cuándo se inventó el inodoro, cuántas veces se bañó en su vida la reina Isabel I de Inglaterra, qué se hace con los desechos de los astronautas, cuáles eran los perfumes preferidos de los antiguos egipcios y muchas cosas más.

¡Un libro que hará del baño un lugar irresistible!

Todos con el estilo iamiqué: sencillo, divertido... y con mucho rigor científico.

¿Ya eres parte de los seguidores de ediciones iamiqué?

Asquerosología

Asquerosología
de la cabeza a los pies

Asquerosología
del cerebro a las tripas

Asquerosología
animal

Asquerosología
del baño a la cocina

Preguntas

Preguntas que ponen
los pelos de punta 1
sobre el agua y el fuego

Preguntas que ponen
los pelos de punta 2
sobre la Tierra y el Sol

Preguntas que ponen
los pelos de punta 3
sobre la luz y los colores

¡Qué bestias!

¿Por qué es tan guapo
el pavo real?
y otras estrategias de los animales
para dejar descendientes

¿Por qué es trompudo
el elefante?
y otras curiosidades de los
animales a la hora de comer

¿Por qué se rayó
la cebra?
y otras armas curiosas que tienen los
animales para no ser devorados

info@iamique.com.ar

www.iamique.com.ar

ACTUARON (POR ORDEN DE APARICIÓN)
Louis Lumière / Auguste Lumière
Georges Méliès
David Griffith / Lev Kuleschov
Thomas Edison
Sergei Eisenstein
Los tres chiflados / Jackie Chan
Buster Keaton / Charles Chaplin
Bela Lugosi / Carlos Villarías
Carlos Gardel
Superman
Tom y Jerry
Walt Disney
Mickey Mouse / Donald / Pluto
Quirino Cristiani
Humphrey Bogart
El llanero solitario / El zorro / Flash Gordon
Rodolfo Valentino / Greta Garbo
Shirley Temple / James Dean
Brigitte Bardot / Clarke Gable
Veronica Lake
Fritz Lang
Andy Wharhol
Alfred Hitchcock
King Kong
Ricciotto Canudo
Alexander Sokurov

DIRECCIÓN DE ARTE
Javier Basile
Lisa Brande

EDICIÓN
Carla Baredes
Beatriz Frenkel

GUIÓN Y DIRECCIÓN
Marcelo Cerdá
Patricio Fontana
Pablo R. Medina

PRODUCCIÓN EJECUTIVA
ediciones iamiqué
info@iamique.com.ar

FILMADO, IMPRESO Y ENCUADERNADO POR
Grancharoff Impresores
Tapalqué 5868, Ciudad de Buenos Aires, Argentina.
impresores@grancharoff.com

Junio de 2006 (MMVI)
www.iamique.com.ar